KB099506

마리 덕끌레르
발 행 I 2024년 2월 25일
저 자 I 마리 덕끌레르
펴낸이 I 한건희
펴낸곳 I 주식회사 부크크
출판사 등록 I 2014.07.15(제2014-16호)
주 소 I 서울특별시 금천구 가산디지털1로 119 SK트윈타워 A동 305호
전 화 I 1670-8316
이메일 | info@bookk.co.kr

ISBN | 979-11-410-7266-7

www.bookk.co.kr

마리 덕끌레르

marie deokclaire

알고 보면 더 재밌는 건물 앞 조형물

건물 앞 조형물이 생겨난 이유??

1963년 부터 미국에서 건물 근처 지역의 미적 가치 향상, 대중들이 현대미술에 쉽게 다가갈 수 있도록 '건축 속의 미술'이라는 법을 실행함

우리나라는 미국의 법안을 모델로 삼아 1972년에 같은 법을 도입함

문화예술진흥법-> 문화예술의 발전과 예술가 지원을 위하여 조형물 설치를 규정하고, 건물을 지을 때 건축 비용의 1% 이하의 비용으로 조형물을 설치할 것을 규정

⊠1984년 의무사항 -> 1995년 법 제정

미디어 아트, 분수대, 벽화 ...등도 포함됨

➤ 건물 앞 조형물의 예시

그리팅 맨 (유영호 작가)

✳롯데시티호텔 명동 정문 앞

제목 그대로 인사를 건네는 작품으로
인간관계의 가장 중요한 시작인 '인사'가 갖는 의미를
조형물에 담아 평화의 메시지를 전한다

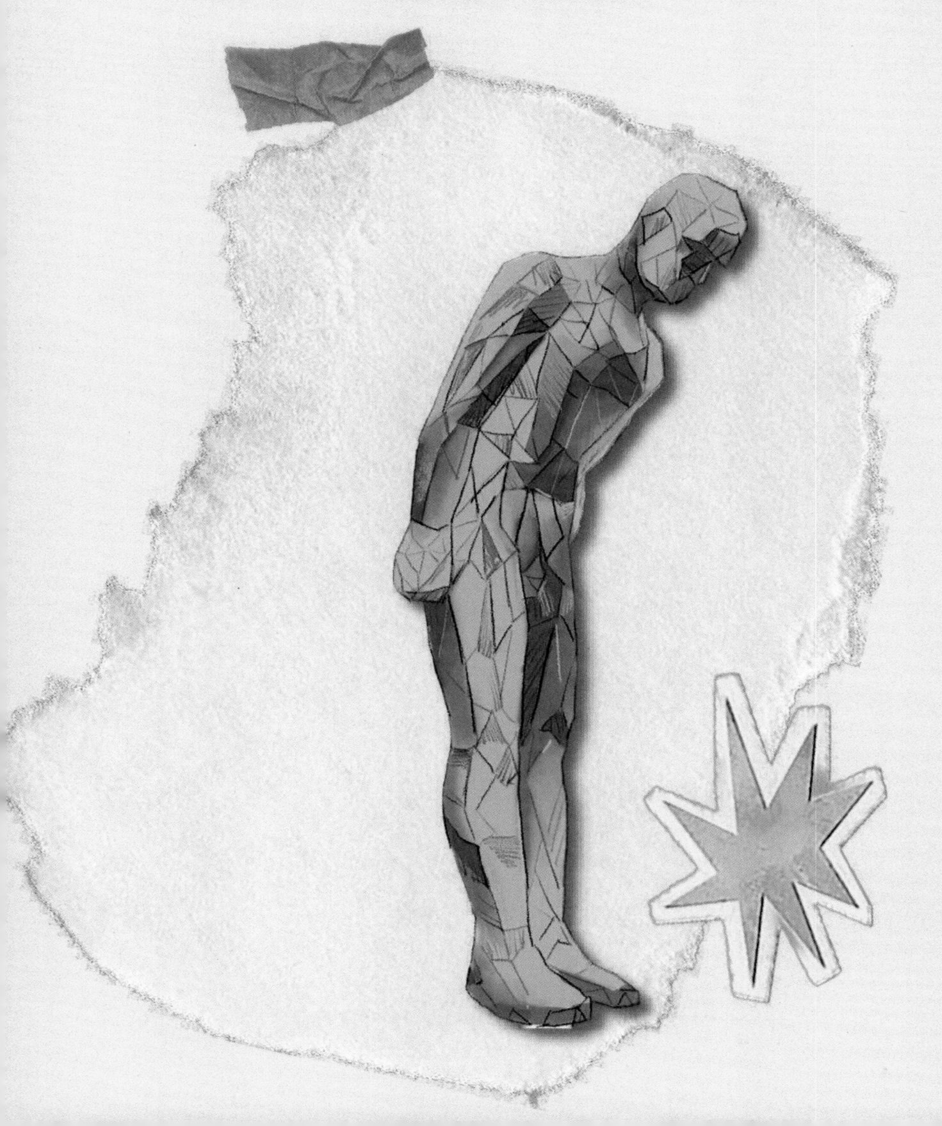

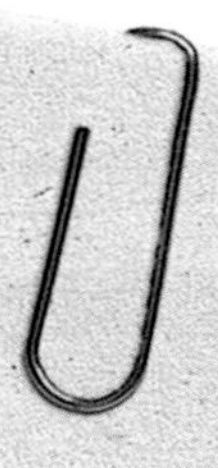

헤머링 맨 (조나단 브로프스키)

⊠흥국생명 본사건물 앞

작가에 따르면 망치질을 하고 있는 어느 구두
수선공의 모습에서 영향을 받았다고 한다.
노동의 가치를 나타내기도 하지만 홀로 서서
망치질을 계속하는 모습을 통해 현대인들의 반복되는
기계적인 삶과 외로움을 나타냈다.

- 일반 조각상과 달리 움직인다는
  특징을 있다.
- 평균 출퇴근 시간인 오전 8시부터
  오후 6시까지 망치질을 하며
  움직인다.

Square- M communication (유영호 작가)

[*]서울 상암 미디어시티 MBC 사옥 앞

이 작품이 전달하고자하는 의미는 미디어를 통한
사람과 사람의 만남, 그리고 소통이다.
이 작품은 사각형의 빨간색 틀과 서로 마주보고 있는 인간상으로
구성되어 있는데 빨간색 틀은 미디어 세상을 표현한 것으로
사람과 사람을 이어주는 매개체이다.

미술 직업에 대한 편견

미술을 공부하면 모두 작가나 화가가
된다는 생각을 가진 사람들이 많이 있어.

하지만 미술에는 생각보다 다양한 직업이
존재하고 있어. 우리가 생활하고 있는 주변을
살펴보면 미술과 관련된 다양한 직업을
찾아볼 수 있어!

그렇다면 화가 외에 어떤 다양한
직업들이 있을지 알아보자!!

컬러리스트

(colourist)

*색상, 색채와 관련된 자료들을
전문적으로 분석하고 연출하여
이미지의 가치를 상승시켜주는 일을 함.

*물건(제품)에 맞는 색상을 조정, 적용함으로써
매출 상승을 도모함

*색상에 관한 최신 트렌드를 분석하고 색과 색을
서로 섞어 새로운 색상을 만들어 관리함.

➤먼셀의 20가지 색상환

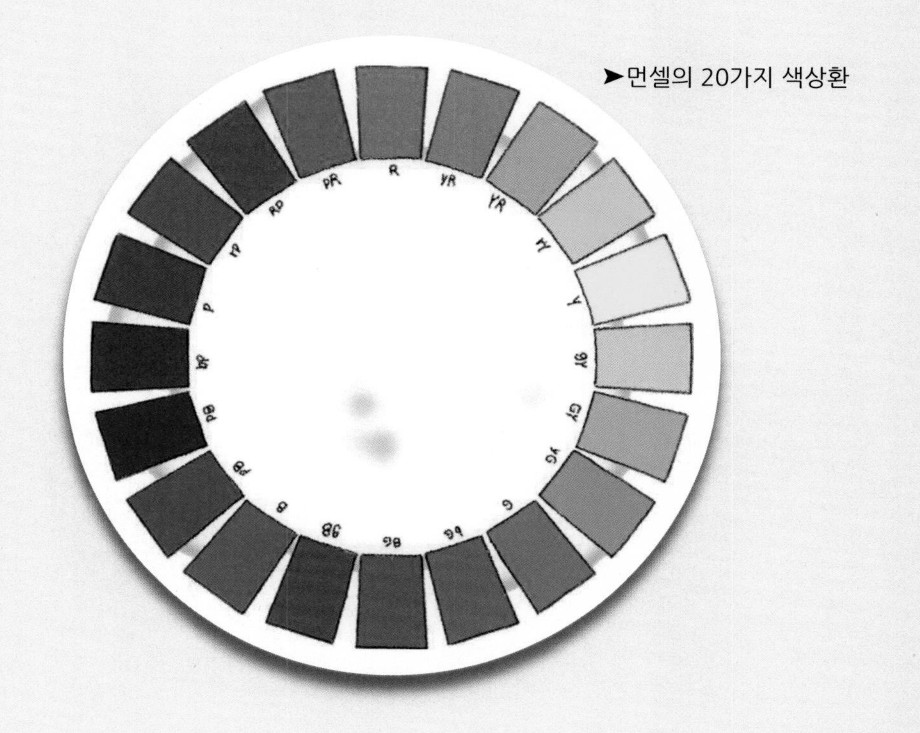

문화재 보존가

(cultural preservationist)

*역사적으로 예술적으로 가치있는 문화재의
파손된 부분을 보존, 수리, 복원, 권리하는 업무를 함.

*역사와 관련된 사실을 조사하는 일부터 과학적인 기술을
사용하는 일도 함.

*문화재를 복원할 때 어떤 재료를 사용해야 본래의 모습으로
복원할 수 있는지 연구함.

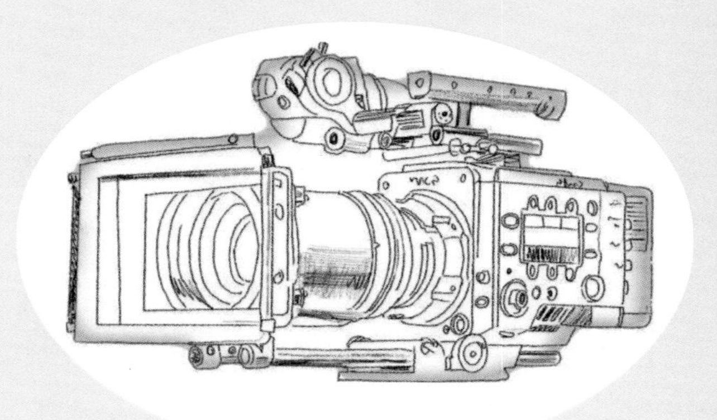

미술 감독

*영화의 각본을 분석하여 텔레비전이나 영화의 피사체의 배경이 되는 공간을 제작하는 일을 총괄함.

*감독과 합의한 예산 안에서 공간을 만들어 냄.

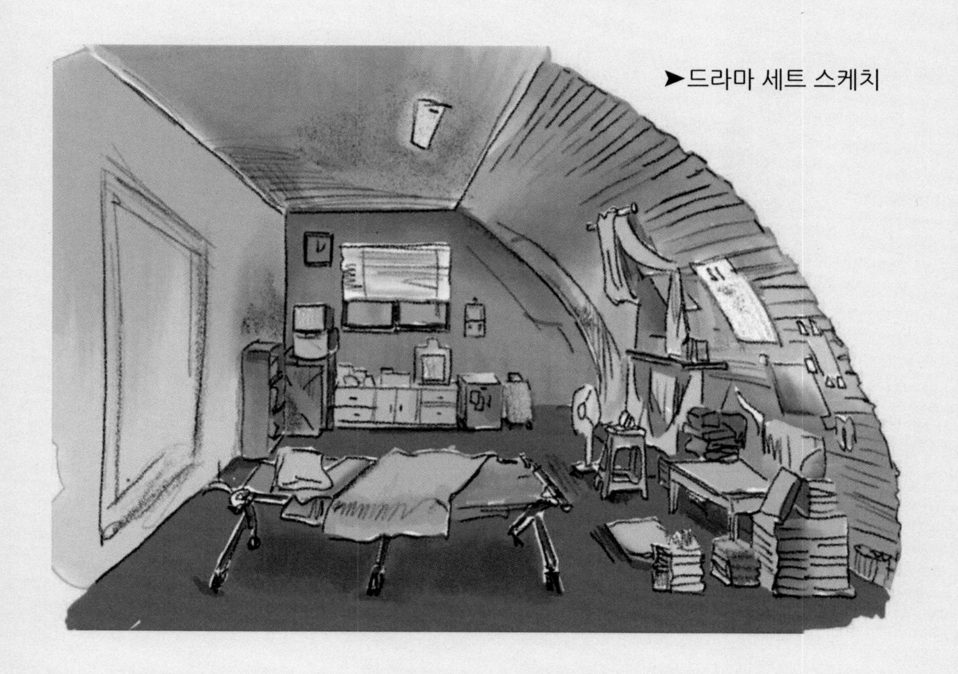

➤드라마 세트 스케치

이런 것도 업사이클링(UPCLCYING)이 된다고??

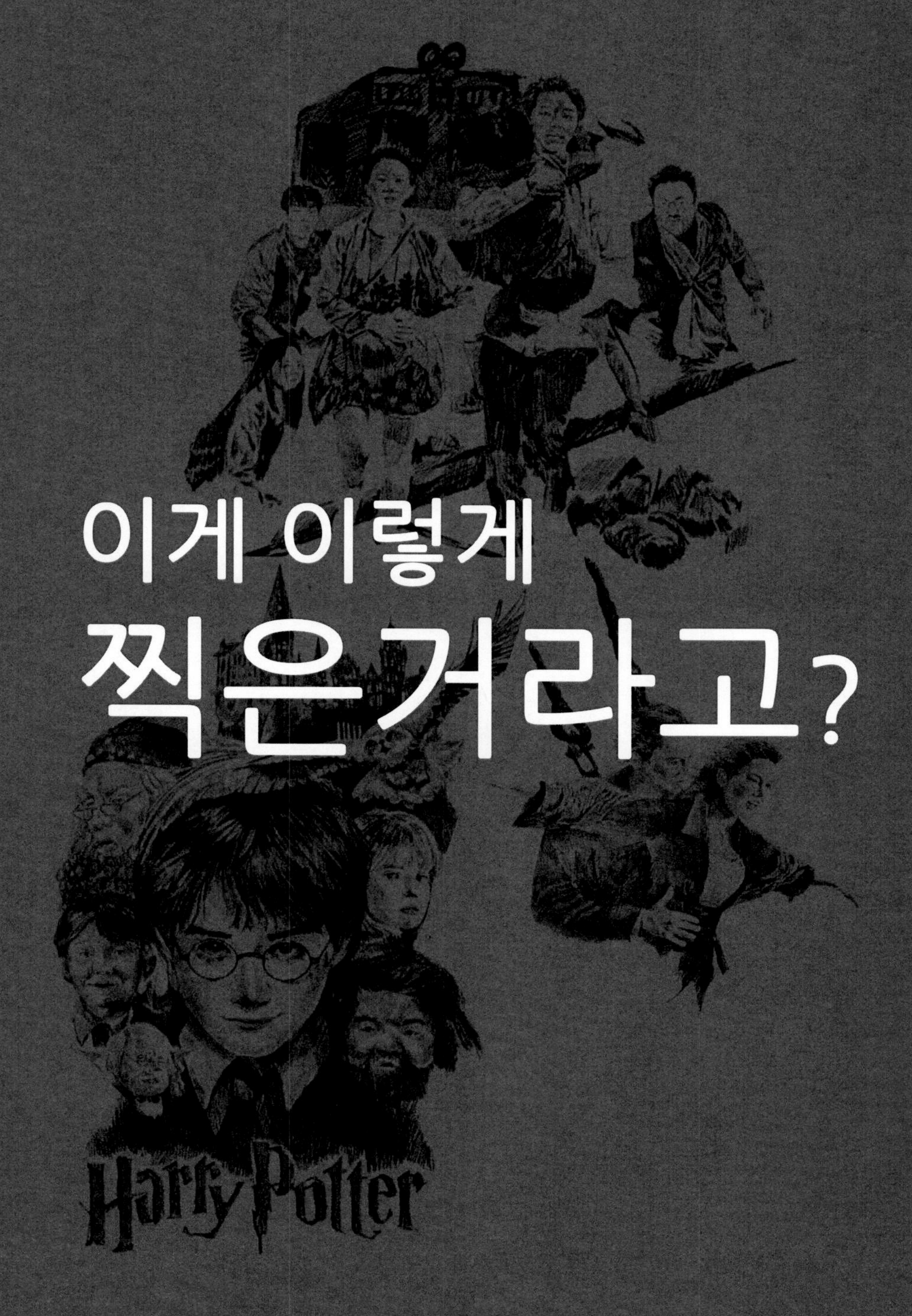

이게 이렇게 찍은거라고?

영화 〈타이타닉〉은 빙하에
타이타닉호가 부딪치면서 침몰하는
과정을 보여준다. 영화에서 등장하는
타이타닉호는 실제로 만들어진 것이며
제작비를 줄이기 위해 한쪽 면만 제작
했다고 한다.

배가 90도로 꺾여
사람들이 떨어지는
장면에서는 배우들이
연기도중 다치지 않도록
배 내부 장식들을 말랑한
소재로 교체하기도 했다.

타이타닉

6400만 리터의 물탱크를 동원해 직접 제작한 배를
띄우고 배가 서서히 기울며 침몰하는 것을 고려해
기울어지는 장치와 90도 꺾이는 장치를 모두
설치하여 촬영했다.

배의 내부
세트장은 실제
타이타닉호의
유리돔,대계단,벽
장식 등을 최대한
반영하여
제작되었다.

배가 부서지거나 배 안에 물이차는 상황들은 한번 촬영하면
세트장을 다시 쓸 수 없기 때문에 미니어처로 세트장을
만든 후 영화에서는 실제 크기로 보여주는 촬영기법을
사용하였고 CG라고 생각될 수 있는 침수 장면들도
놀랍게도 실제로 세트장에
물을 채워 배우들이 연기한 것이다.

수백명의 승객역의 엑스트라
배우들은 실존 인물들을 바탕으로
캐스팅되어 헤어스타일,
의상 등을
맞춰 입고
등장했다.

영화 <해리포터>는
마법사들의 이야기를
담고 있기 때문에
수많은 CG가
사용되었다.
그러나 CG일
것이라고 생각했던
거인족 인물인
해드리그가 대역과
특수 카메라,
여러 장치들을
통해서 실제로 촬영한
인물이라고 한다.
영화 속 거인족 역의
해그리드를

탄생시키기 위해서는 얼굴이 촬영되어 표정을 연기 할
배우 '로비'와 그의 액션을 따라하며 '로비'의 덩치를
거인족으로 만들어 줄 대역 배우 '마틴'이 합을 맞추는
노력이 필요했다.

카메라에 해그리드의 얼굴이
크게 잡혀야 할 때는 ‘로비’가
표정 연기를 해야했고
전신이나 뒷모습이 잡혀야
할 때는 ‘마틴’이 약 30cm의
키높이 신발을 신고 몸을
크게 만들어주는 빵빵한
수트와 해그리드의 얼굴과
유사하게 제작된 가면을 쓰고
대역으로 촬영을 진행했다.

어떤 때는 와이드 렌즈를 사용하여 해그리드를 크게 만들고
배경을 멀리 보이게끔 하기도 하고 세트를 의도적으로 작거나
크게 만들어 해그리드라는 인물이 230cm의 키를 가진
거인족의 느낌이 나도록 여러가지 촬영기법을 사용하기도
하였다.

또한 ‘로비’의 표정과
몸짓이 ‘마틴’의
액션과 잘 맞아
떨어져야
하기 때문에
두 배우는
촬영내내 합을 맞추는
것에 집중했다고 한다

영화 <부산행>은
KTX속에서
좀비와의 사투를
담은 이야기로
공격적인 좀비
액션과 실감나는
특수 분장이
눈길을 끈다는
것을 알 수 있다.

부산행

<부산행>에서는 수많은좀비들이 높은 곳에서 빠르게
떨어지는 장면이 있는데 실제 사람들을 빠른 속도로
떨어뜨릴 수 없다는 점을 고려하여 와이어에서
천천히 떨어지는 것을 촬영한 후 편집하는 과정에서
속도를 빠르게 바꿨다고 한다.

좀비 액션은 단순히 꺾는
다고만 생각하는데
영화에서는 더욱 좀비들을
실감나게 표현하기 위하여
안무가가 좀비 트레이닝에
참여 하였고 비보이 경력이
있던 배우들은 보다 더
격렬하고 독특한 액션을
보여줄 수 있었다.

<부산행> 촬영 비하인드 중 가장 돋보이는 점은 KTX가 지나갈 때 창밖 풍경이 CG가 아니라는 점이다. 양쪽 창가에 대형 LED 판넬에 영상을 틀어놓고 촬영을 진행했고 그 결과 자연스러운 바깥 풍경이 연출 되기도 했다.

또한 모든 벽과 의자들을 탈부착 할 수 있게 만들어 열차 단 2량만으로 모든 장면을 촬영했고 실제 KTX의 크기를 측정한 다음 촬영의 편의를 위해서 실제보다 약간 더 크게 제작했다고 한다.

Iam_2kwa_unnie
이과생
언니와의

대화

Iam_2kwa_unnie

어제, 오후 11:52

언니

나 코발트 블루랑 카드뮴 레드 딥 물감 다 써서 그러는데 사줄 수 있어?

코발트? 카드뮴????

너 중금속으로 그림그리는구나?

중금속?? 그게 무슨말이야

코발트는 옛날부터 예쁜 푸른빛이 돌아서 사람들에게 사랑받는 색이었어. 생물체 내에서는 비타민 B12를 이루는 영양소이자 빈혈 치료제로 쓰이기도 하지. 그런데 수용성 코발트는 20g을 섭취하면 죽을 수 있을 정도로 위험한 물질이야. 직접 섭취하는 것 외에도 피부에 닿거나 숨으로 들이쉬면 호흡기 질환이나 발진이 생길 수 있어!!

헐 진짜??

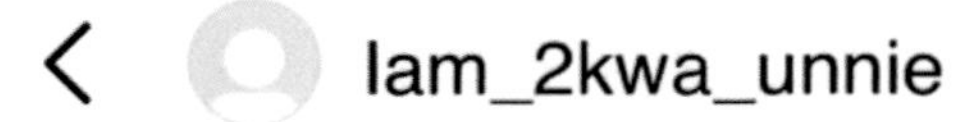

또 카드뮴은 코발트보다 독성이 훨씬 더 강한 물질이라고 할 수 있어. 카드뮴이 몸에 너무 많이 쌓이면 뼈를 물렁하게 만들어 뼈가 부러지거나 변형되고 신장을 손상시키기도 해.

그럼 나 물감쓸 때 위험한거야??

어떡해..

하지만!!

염료에 쓰이는 코발트는 순수한 코발트가 아니라 다른물질이랑 결합된거라 걱정하지 않아도 돼

그리고 카드뮴은 평소 공장 폐수 마시는게 취미가 아니라면 겁 먹을 필요 없어!

그렇구나..

참고로 코발트는 원자번호 27, 카드뮴은 48로 꽤 무거운 금속에 속하는 친구들이야~

어때 재밌지 않아??

이제 그만^^

Theme # 1 . 연필은 언제 만들어졌을까?

Theme # 2 . 볼펜은 언제 만들어졌을까?

Theme # 3 . 필통으로 인싸 되어보기

Theme # 4 . 인테리어로 보는 성격 테스트

연필은 언제 만들어졌을까?

연필의 탄생

16세기에 탄소가 발견된 후 연필이라고 할 수 있는 물건이 탄생하였다. 최초의 연필은 흑연 막대기의 형태였는데 , 단순한 막대기의 형태이기 때문에 손에 묻는다는 문제점이 발생했다. 이러한 문제점을 해결하기 위해 처음에는 로프로 감싸서 사용하다가 후반에는 나무로 감싼 형태로 바뀌면서 나무 연필이 제작되었다.

▲ 흑연 막대기

▲ 로프로 감싼 흑연 막대기

▲ 나무로 감싼 흑연 막대기

콩테의 등장

사람들은 1883년경부터 연필을 제작할 때 고가의 흑연을 적게 사용하는 방법을 찾으려 노력했다. 이때 프랑스의 화학자 ' 니콜라스 자크 콩테 '가 등장했고 , 그는 흑연 가루와 점토를 혼합했다. 이 과정에서 흑연 가루와 점토의 비율에 따라 연필심의 경도를 다르게 조절할 수 있게 되었다.

1795년 연필을 발명하고 ,
' CONTE A PARIS ' 라는 미술 전문 기업을 설립한 인물

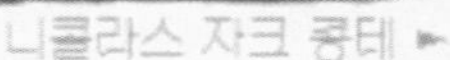

니콜라스 자크 콩테 ►

현대의 연필

결론적으로 이러한 발전 과정들을 통해 더 이상 연필이 사치품이 아닌 모든 사람들이 다양하게 사용할 수 있는 도구가 되었다.

연필은 흑연가루와 진흙의 양을 조절하여 연필심의 경도를 조절할 수 있다. H의 숫자가 높을수록 진흙이 많이 함유되어 있어 연필이 딱딱해지고 , B의 숫자가 높을수록 흑연가루가 많이 함유되어 있어 진하고 부드럽게 사용할 수 있다.

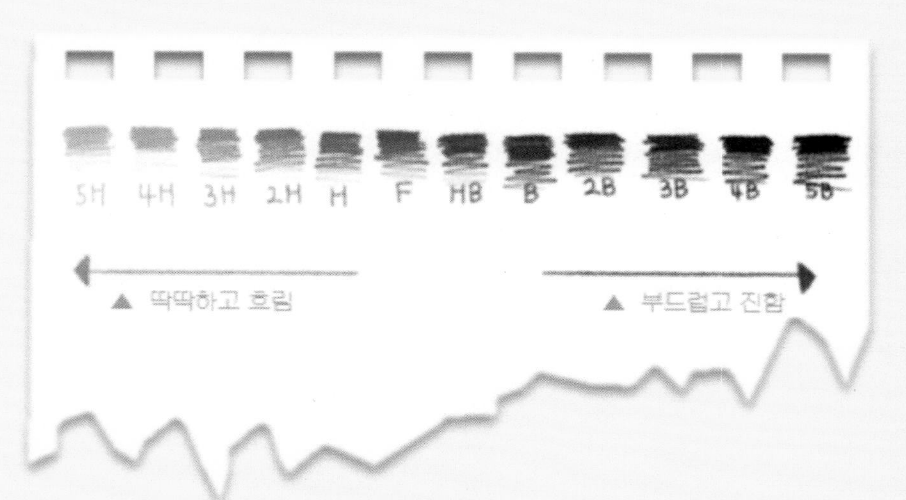

현대의 다양한 연필

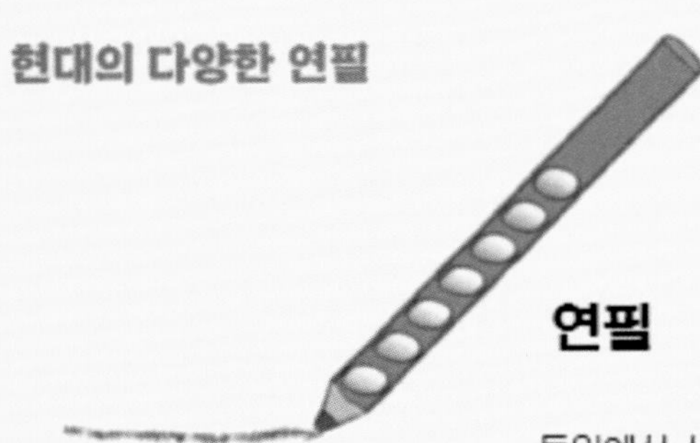

▲ 스타빌로 - 이지그래프

연필

독일에서 시작되어 전 세계인의 사랑을 받는 **'스타빌로(stabilo)'** 의 어린이 연필이다. 일반 연필에 비해 두껍고 구멍이 있어 연필을 더 쉽고 자연스럽게 잡을 수 있다.
왼손잡이와 오른손잡이용 연필이 따로 있어 첫 필기도구로 매우 적합하다.

샤프

'스타빌로(stabilo)' 의 올바른 필기 자세 형성에 도움을 주는 교정 샤프이다. 연필심 부분의 쿠션이 부러지지 않도록 도와준다. 왼손잡이와 오른손잡이용 샤프가 따로 있으며 손 힘이 약한 어린 학생들도 부드럽게 사용할 수 있는 장점이 있다.

▲ 스타빌로 - 이지에고 샤프 펜슬

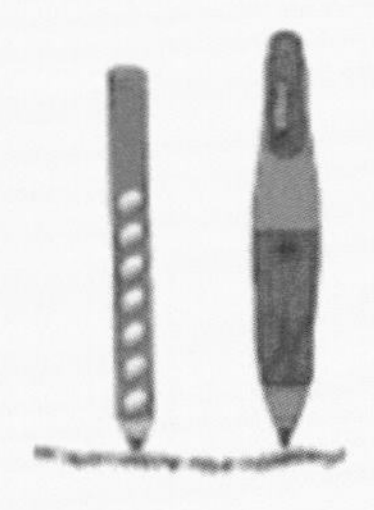

일반 연필은 얇고 필기할 때 힘이 많이 들어가는 반면, **'스타빌로' 의 어린이 연필과 샤프는** 부드럽게 써지며 필기 형태 교정에 최적화 되어있다.

볼펜은 언제 만들어졌을까?

볼펜의 역사 (1) _ 존 라우드

현재의 볼펜 형태를 만들어낸 최초의 사람은 미국의 ' 존 라우드 '이다. 존 라우드는 회전하는 작은 철 공이 달려서 종이와 마찰하여 잉크가 나오는 펜을 만들어냈다. 하지만 필기를 하기에는 너무 거칠었기 때문에 경쟁력이 떨어질 수 밖에 없었다.

미국의 가죽 가공업자.
최초로 볼펜을 고안해낸 인물

존 라우드 ►

볼펜의 역사 (2) _ 비로 라슬로

' 비로 라슬로 '는 만년필의 불편함을 개선하고자 새로운 잉크를 개발했다. 결국 비로는 볼펜을 성공적으로 만들어냈고 , 그 볼펜은 만년필보다 여러 방면에서 다용도로 사용할 수 있다는 점이 밝혀졌다. 이렇게 개발된 볼펜에 유성 잉크를 사용할 수 있다는 점을 이용해서 유성 볼펜 개발에 성공했다. 그럼에도 불구하고 볼펜은 비싼 가격때문에 인기를 끌지 못했다.

헝가리의 신문기자.
실용성 있는 볼펜의 개발에 성공한 최초의 발명가

비로 라슬로 ►

볼펜의 역사 (3) _ 마르셀 빅

이때 ' 마르셀 빅 '이 등장하고 회사 ' BIC '을 설립하여 볼펜을 대량 생산하기 시작했다. ' BIC '의 볼펜은 그동안의 문제점을 보완하고 가격을 낮춰 합리적인 볼펜을 선보였고 대중들의 인기를 얻을 수 있었다.

1950년 최초의 노크식 볼펜이 등장해 만년필의 형태와 점점 멀어지기 시작했다. 그 후 1960년대에 우리나라에서도 볼펜이 대중화되면서 현재에는 다양한 종류의 볼펜이 존재하며 많이 사용되고 있다.

프랑스의 문구 및 생활용품 브랜드 ' BIC '을 설립한 인물

마르셀 빅 ►

+ 볼펜 뚜껑에는 구멍이 있다?! +

볼펜의 뚜껑을 자세히 들여다보면 작은 구멍을 볼 수 있다. 이 구멍은 왜 생겨나게 되었을까?

어린 아이들이 볼펜의 뚜껑을 삼켜 기도가 막히는 사건이 계속해서 발생하자 ' BIC '은 볼펜 뚜껑을 작은 구멍이 뚫린 형태로 제작하기 시작했다. 볼펜 뚜껑의 작은 구멍이 질식사와 같은 큰 사고를 방지할 수 있다는 점이 밝혀지게 되고 , 다른 제조사들도 이 디자인을 반영하여 제품을 제작하고 있다.

필통으로 인싸 되어보기 project

번외편 _

▲ 스미글 - 케이크 파티

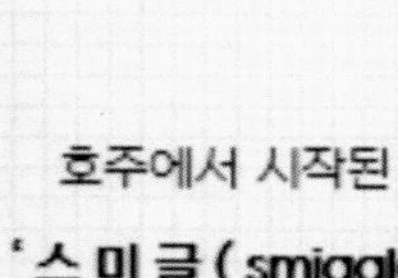

호주에서 시작된

'스미글(smiggle)' 이라는 브랜드!
필통의 공간이 넉넉한 파우치 형태로
이루어져 있다.
필통 재질이 떨어지더라도
소리가 나지 않으며 깨질 위험이 없다.

▲ 스미글 - 레이싱 위너

튼튼한 내구성을 갖추고 있으며,
독특하고 다양한 디자인들이 필통 선택의 폭을 넓혀준다.

인테리어 컨셉

으로 보는

성격 테스트

1) 북유럽풍 인테리어	2) 미니멀 인테리어

3) 인더스트리얼 인테리어	4) 웨인코스팅 인테리어

인테리어컨셉
으로 보는
성격테스트

1) **북유럽풍 인테리어** : 반복되는 일보다 새로운 시도를 할 때 재미를 느끼며 새로운 시도를 주저하지 않는 성격을 가지고 있습니다. 창의력이 풍부하고 계획보다는 그때 그때 상황에 따라서 일을 처리하는 편입니다.

2) **미니멀 인테리어** : 즉흥적으로 행동하는 것보다 계획적으로 일을 처리하는 편입니다. 모든 일에 강한 책임감을 가지며 시작한 일은 항상 끝을 보는 성격의 소유자입니다. 변화를 좋아하지 않습니다.

3) **인더스트리얼 인테리어** : 진정한 예술가의 기질을 가지고 있습니다. 옷차림과 시간을 보내는 방식과 같은 다양한 측면에서 자신의 개성을 드러냅니다. 또한 호기심이 많아서 다양한 분야에 관심이 많고 엄청난 열정을 보입니다.

4) **웨인코스팅 인테리어** : 꾸준히 도전하며 호기심이 많습니다. 모든 일에 신중하고 성실합니다. 가끔 중요하지 않은 것도 열심히 하는 경향이 있지만 책임감이 강하고 끈기가 있습니다.

미술과가
영상물을 분석하다

과, 몰입

스파이더맨:
어크로스 더 유니버스